Grand-père et la Lune

STÉPHANIE LAPOINTE
ROGÉ

Grand-père et la Lune

QUAI
Nº
5

Catalogage avant publication de Bibliothèque et Archives nationales du Québec
et Bibliothèque et Archives Canada

Lapointe, Stéphanie, 1984-

    Grand-père et la lune

    (Quai n° 5)

    ISBN 978-2-89261-924-9

    I. Rogé, 1972- . II. Titre. III. Collection: Quai n° 5.

PS8623.A735G72 2015   C843'.6   C2015-940890-3
PS9623.A735G72 2015

Les Éditions XYZ bénéficient du soutien financier des institutions suivantes pour leurs activités d'édition :
– Conseil des arts du Canada ;
– Gouvernement du Canada par l'entremise du Fonds du livre du Canada (FLC) ;
– Société de développement des entreprises culturelles du Québec (SODEC) ;
– Gouvernement du Québec par l'entremise du programme de crédit d'impôt pour l'édition de livres.

Édition : Tristan Malavoy-Racine
Illustrations : Rogé
Montage de la couverture : René St-Amand
Révision linguistique et correction d'épreuves : Sophie Marcotte

Copyright © 2015, Les Éditions XYZ inc.

ISBN version imprimée : 978-2-89261-924-9
ISBN version numérique (PDF) : 978-2-89261-925-6

Dépôt légal : 3ᵉ trimestre 2015
Bibliothèque et Archives nationales du Québec
Bibliothèque et Archives Canada

Diffusion/distribution au Canada :   **Diffusion/distribution en Europe :**
Distribution HMH   Librairie du Québec/DNM
1815, avenue De Lorimier   30, rue Gay-Lussac
Montréal (Québec) H2K 3W6   75005 Paris, FRANCE
www.distributionhmh.com   www.librairieduquebec.fr

Imprimé en Chine

quaino5.com

À Marguerite,

pour te dire
que le plus beau n'est peut-être pas
de poser pied
sur la Lune,

mais de parcourir
tout le chemin qu'il faut
pour s'y rendre.

Stéphanie

À Clara,

mon étoile.

Rogé

GRAND-PÈRE ÉTAIT UN HOMME
DE PEU DE MOTS.

ENFIN, C'EST CE QU'ON A DIT DE LUI
LE JOUR DE SON ENTERREMENT.

« ADRIEN ÉTAIT UN HOMME DE PEU DE MOTS. »

JE NE PEUX PAS DIRE QUE JE LUI AI DIT
BEAUCOUP DE CHOSES NON PLUS,
À ADRIEN.

GRAND-PÈRE S'ASSOYAIT TOUJOURS À MES CÔTÉS À TABLE.
PENDANT QUE LES AUTRES FAISAIENT LEUR CIRQUE,
LUI PRENAIT MA MAIN EN SILENCE
POUR LA CARESSER.

LA SIENNE ÉTAIT RUDE DE SOIXANTE-DIX ANNÉES
D'USINE DE PÂTE À PAPIER,
D'ÉPLUCHAGE DE PATATES DANS L'ARMÉE,
D'ÉPLUCHAGE DE PATATES CHEZ LES FRÈRES.

ÇA FAIT BEAUCOUP DE PELURES DE PATATES
POUR DEUX MAINS.

C'EST SI FACILE DE PASSER
À CÔTÉ
D'UN HOMME DE PEU DE MOTS.

JE ME SOUVIENS QU'ADRIEN AIMAIT :

LE SPAGHETTI EN CANNE,
LES CABANES DE COUVERTURES
ET LE CARAMEL.
FAIT MAISON.

IL AIMAIT M'APPELER MÉMÈRE.

ET DIRE :
« MÉMÈRE, IL FAUT QUE TU AILLES TE CHERCHER UN DIPLÔME.»

J'IMAGINAIS ALORS QU'UN JOUR, ON IRAIT LE CHERCHER ENSEMBLE,
COMME QUAND ON PARTAIT DANS SA CHRYSLER GRISE EN FORME
DE BOÎTE À SAVON POUR ALLER CHERCHER LA CASSONADE POUR
LE CARAMEL.

LA VIE A TRAVERSÉ GRAND-PÈRE
COMME UN LONG SOUFFLE
TIÈDE
LENT.

GRAND-PÈRE AIMAIT LUCILLE.

PAS COMME CES VIEUX
QUI ONT TOUT DERRIÈRE ET PLUS GRAND-CHOSE DEVANT
ET QUI RESTENT ENSEMBLE
PARCE QUE VAUT MIEUX ÊTRE DEUX QU'ÊTRE SEUL.

GRAND-PÈRE AIMAIT LUCILLE COMME C'EST PAS POSSIBLE.

IL DISAIT À PROPOS D'ELLE DES CHOSES COMME :
« LA TAILLE DE LUCILLE EST ÉGALE À MON TOUR DE CHAPEAU. »

ÇA PEUT PARAÎTRE ÉTRANGE COMME ÇA
DE COMPARER L'AMOUR DE SA VIE
À LA CIRCONFÉRENCE D'UN CHAPEAU,
MAIS C'EST UNE CHOSE QUI LE RENDAIT FIER.

L'AMOUR ÇA NE SE DISCUTE PAS DE TOUTE FAÇON.
TOUT LE MONDE SAIT ÇA.

PUIS
LUCILLE A EU UN CANCER.
DES POUMONS.

ELLE S'EST BATTUE COMME C'EST PAS POSSIBLE.

MAIS UN MOINS BON JOUR, ALORS QU'ELLE ÉTAIT AU BOUT DU ROULEAU
ET QUE LA SOIF ET QUE LE SOUFFLE TROP COURT ET QUE LES RAYONS
DU SOLEIL TROP MINCES DANS SA CHAMBRE D'HÔPITAL TROP BLANCHE
— TOUTES CES CHOSES QUI S'ACCUMULENT ET QUI TUENT L'ESPOIR —
SONT VENUS S'INSTALLER POUR DE BON, LUCILLE S'EST ÉTEINTE.

LA VIE EST SORTIE D'ELLE COMME JE LE DIS.

ET AVEC ELLE, LA DOULEUR À LA POITRINE, LE SOUFFLE COURT
ET MÊME LES RAYONS DU SOLEIL QU'ELLE AIMAIT TANT.
TOUT QUOI.

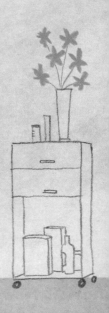

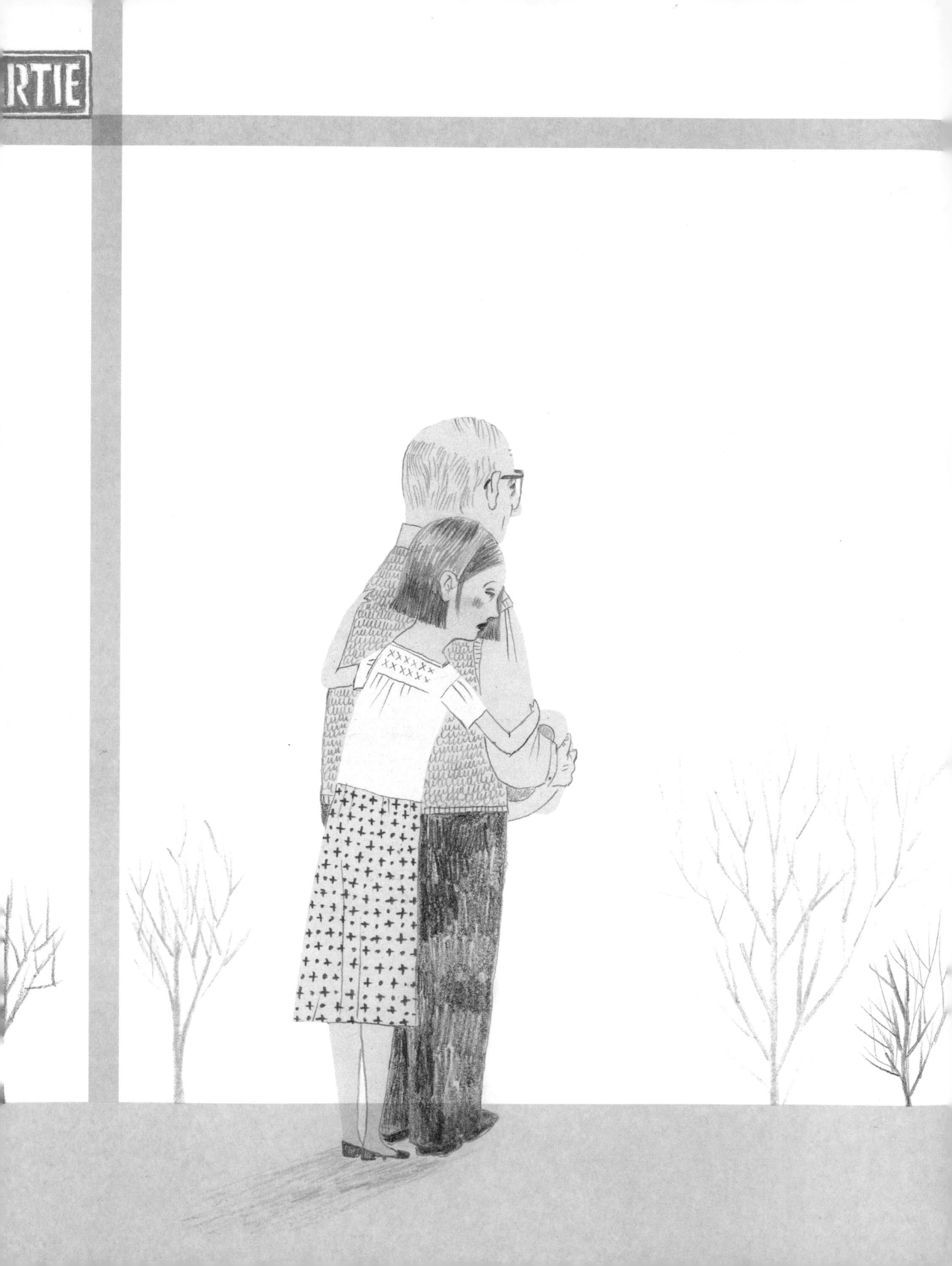
RTIE

À PARTIR DE CE JOUR
TOUT LE MONDE A APPRIS À VIVRE SANS LUCILLE,
PARCE QUE C'EST CE QU'IL FAUT FAIRE.

TOUT LE MONDE
SAUF GRAND-PÈRE.

PEUT-ÊTRE QUE C'EST IA TRISTESSE DE L'AVOIR PERDUE
TROP ViTE
QUi LUI A DONNÉ ENVIE DE SE TAIRE.

PEUT-ÊTRE QUE C'EST l'INCOMPRÉHENSION
QUI S'EST MUÉE
EN VIDE.

COMME UNE PANNE
SÈCHE
DU COEUR.

COMME UN MUR
ENTRE LUi
ET IA ViE QU'il AURAiT EUE
AVEC EllE.

PEUT-ÊTRE MÊME QUE GRAND-PÈRE SE DEMANDAIT
QUEl GENRE D'HOMME Il AURAIT ÉTÉ
Si LUCillE N'ÉTAIT PAS
CE JOUR- LÀ

PARTIE SANS LUI.

(OU S'il N'ÉTAIT PAS
CE JOUR-LÀ
UN PEU PARTI AVEC EIIE.)

GRAND-PÈRE VENAIT TOUJOURS AU SPECTACLE ANNUEL DE BALLET.
L'AUDITORIUM DE L'ÉCOLE ÉTAIT ALORS BONDÉ DE PARENTS FIERS
COMME DES PAONS.

L'AUDITORIUM C'ÉTAIT 309 PLACES.

IL Y AVAIT 308 PERSONNES
FIÈRES COMME DES PAONS
ET UN HOMME
QUI DORMAIT.

C'ÉTAIT GRAND-PÈRE.

GRAND-PÈRE DORMAIT AUSSI DANS LES CENTRES COMMERCIAUX,
ET AU CINÉMA, ET DANS LE BUS ET À NOËL.

LE BOURDONNEMENT DU MONDE ET SON SPECTACLE
NE L'INTÉRESSAIENT PAS TELLEMENT.

"... POUR AUTANT QUE TU AILLES CHERCHER UN DIPLÔME, MÉMÈRE."

« OUI, GRAND-PÈRE. »

GRAND-PÈRE EST NÉ LE 5 AOÛT 1930.
LE MÊME JOUR QUE NEIL ARMSTRONG.

ADRIEN
5 AOÛT 1930

NEIL
5 AOÛT 1930

JE PENSAIS QUE ÇA LE RENDRAIT FIER
QUAND JE LUI AI DIT QUE J'AVAIS ÉTÉ CHOISIE
AU CONCOURS-DE-QUI-IRA-SUR-LA-LUNE :

« JE VAIS ALLER SUR LA LUNE,
COMME NEIL, GRAND-PÈRE. »

LE 20 JUILLET 1969,
GRAND-PÈRE DORMAIT SÛREMENT.

J'AURAIS AUSSI BIEN PU LUI PARLER
DE LA PLUIE
ET DU BEAU TEMPS.

« FAUT PAS AVOIR PEUR, GRAND-PÈRE.

LA LUNE
C'EST PAS À LA PORTE, JE SAIS.
MAIS DE NOS JOURS ON FAIT ÇA TRÈS VITE
UN AllER-RETOUR, JE DIS,
APRÈS TOUT SERA
COMME AVANT. »

Il RESTAIT MUET.

« GRAND-PÈRE, IL FAUT UN DIPLÔME
POUR DEVENIR ASTRONAUTE. »

OUI. TOUT LE MONDE AU MONDE
ÉTAIT AU COURANT DE L'AFFAIRE.

TOUT LE MONDE CONNAISSAIT QUELQU'UN, QUELQUE PART,
QUI S'ÉTAIT INSCRIT AU CONCOURS-DE-QUI-IRA-SUR-LA-LUNE.

(IL Y AVAIT MÊME, PARAÎT-IL,
UN CANDIDAT VENU DE LA RÉPUBLIQUE DE NAURU.
C'EST LA PLUS PETITE RÉPUBLIQUE AU MONDE,
AVEC 21 KM² DE SUPERFICIE.)

TOUT LE MONDE AU MONDE
ÉTAIT AU COURANT DE L'AFFAIRE.

MAIS PAS GRAND-PÈRE,
QUI N'AVAIT PAS TROP L'HABITUDE DE LA TÉLÉVISION.

IL DISAIT :
« LA TÉLÉVISION EST UNE CHOSE QUI FINIT PAR PENSER
À NOTRE PLACE. »

JE NE VOULAIS PAS QUE MA VIE SOIT UN LONG SOUFFLE
TIÈDE
LENT.

ALORS JE SUIS ALLÉE CHERCHER UN NUMÉRO
ET J'AI PRIS PLACE DANS LA FILE.

N°6506

UNE FILE
LONGUE DE 219 191 PERSONNES.

LE NORD ET LE SUD DE LA VILLE
QUI SE DONNAIENT LA MAIN
POUR UNE FOIS.

C'ÉTAIT UN PEU
COMME CES FOURMIS QUI AVANCENT DANS LES CRAQUES
DU TROTTOIR SANS TROP AVOIR L'AIR DE SAVOIR POURQUOI,
JUSTE PARCE QUE L'UNE AVANCE DEVANT L'AUTRE
ET AINSI DE SUITE ET AINSI DE SUITE.

ON DISAIT BEAUCOUP DE CHOSES VRAIES ET FAUSSES
CE JOUR-LÀ
MAIS TOUJOURS EST-IL QUE TOUTE ACTIVITÉ DANS LA VILLE
ÉTAIT PARALYSÉE. ET LES PONTS, ET LES AUTOROUTES,
ET LES AÉROPORTS AVAIENT ÉTÉ FERMÉS.

SI BIEN QUE MÊME CEUX QUI NE S'INTÉRESSAIENT
PAS À L'AFFAIRE S'Y FROTTAIENT LE NEZ
TÔT OU TARD.

GRAND-PÈRE, PAR EXEMPLE
(POUR LA PREMIÈRE FOIS DEPUIS LA MORT DE LUCILLE),
N'A PAS PU SE RENDRE COMME À TOUS LES MARDIS
ONZE HEURES CHEZ MONSIEUR GILBERT.

SON BARBIER.

MONSIEUR GILBERT FAISAIT LA FILE.

C'ÉTAIT BEAU À VOIR
TOUTES CES TÊTES
MISES SUR LEUR 36
QUI AFFICHAIENT LE MÊME SOURIRE.

LE SOURIRE
DE CELUI QUI PENSE
QU'IL VA BIENTÔT GAGNER À LA LOTERIE.

DE CELUI QUI POURRA ENFIN
LAISSER SA VIE
DERRIÈRE.

ON N'IMAGINE PAS QU'AUTANT DE GENS
RÊVENT
D'AllER SUR LA LUNE.

Il Y AVAIT DANS lA FILE :
UN ROUX AVEC DES LUNETTES RONDES À LA JOHN LENNON
UN MAIGRE AVEC DES JAMBES DE DEUX MÈTRES MINIMUM
UNE FEMME AVEC DES BROCHES ET UN SOURIRE TRISTE.

JE NE SAIS PAS POURQUOI
C'EST MOI
QU'ON A CHOISIE
CE JOUR-LÀ.

JE NE SUIS NI TRÈS BEllE,
NI TRÈS LAIDE.
JE N'AI PAS BEAUCOUP DE COURAGE.

PEUT-ÊTRE QU'ILS CHERCHAIENT
QUELQU'UN D'ORDINAIRE,
AU FOND.

C'EST PEUT-ÊTRE EXTRAORDINAIRE
D'ENVOYER QUELQU'UN D'ORDINAIRE
SUR LA LUNE.

MAIS JE NE PENSAIS PAS À TOUT ÇA
LE MATIN DU DÉPART.

D'ABORD JE DOIS DIRE
QUE J'AI OUBLIÉ UN TAS DE TRUCS À PROPOS
DE CE QUI A PU SE PASSER
CE MATIN-LÀ.

ON APPELLE ÇA LA MÉMOIRE QUI JOUE DES TOURS.
C'EST LA PSYCHOLOGIE QUI VEUT ÇA
POUR ÉVITER AU COEUR DE FOUTRE UN BORDEL
PAS POSSIBLE.

(LES TROUS DE MÉMOIRE
SERVENT
À MAINTENIR
L'ORDRE DES CHOSES.)

MAIS IL Y A DE CES CHOSES QUI NE S'OUBLIENT PAS.

IL Y A EU D'ABORD
LE BRUIT DE L'ENGIN QUI S'EST SOULEVÉ SOUS MON CORPS
ET QUI A FAIT UN TAPAGE PAS CROYABLE
JUSTE EN MON HONNEUR,
AVEC DU FEU QUE J'AI SENTI MONTER JUSQUE
DANS MA GORGE.

ET PAS TELLEMENT LONGTEMPS APRÈS, LA MER.
LA MER QUI S'EST TRANSFORMÉE LÀ, SOUS MES YEUX,
EN UNE TACHE IMMENSE ET D'UN BLEU À RENDRE JALOUSES
TOUTES LES AUTRES NUANCES DE BLEU DU MONDE.

PUIS LE BRUIT DE MON COEUR
C'EST NORMAL
QUI A EU LA PEUR DE SA VIE.

Po-Poum. Po-Poum. Po-Poum.

JE LE DIS PARCE QUE C'EST VRAI
ET PAS POUR FAIRE ENVIE, PARCE QUE CE SERAIT
VRAIMENT INDÉCENT DE MA PART,
MAIS C'EST D'UNE BEAUTÉ, LÀ-HAUT...
À EN PLEURER.

L'EFFET QUE ÇA FAIT DE SE SENTIR SI LOIN DE TOUT,
MÊME DE SON CHAT...

MAIS COMME TOUTE BONNE CHOSE A UNE FIN
(C'EST GRAND-PÈRE QUI DIT ÇA ET IL PARLE
EN CONNAISSANCE DE CAUSE),
IL Y A EU, COMME C'EST TOUJOURS LE CAS APRÈS
LES GRANDS FEUX D'ARTIFICE ET LES GRANDES FÊTES,

UN VIDE.

J'AI PENSÉ QUE C'ÉTAIT UN DE CES TROUS NOIRS QUI EXISTENT
LÀ-HAUT ET QUI ASPIRENT LES CHOSES ET MÊME LES ASTRONAUTES
BIEN FORMÉS (QUI SAVENT TOUS QUE SI ON A LA CHANCE
DE NE PAS VOIR DE TROU NOIR, C'EST MIEUX).

MAIS CE N'ÉTAIT PAS ÇA BIEN SÛR, PARCE QUE JE NE SERAIS
PAS LÀ POUR LE DIRE.

ON NE PEUT PAS TOUT SAVOIR TOUT COMPRENDRE DANS LA VIE,
ET POUR CETTE FOIS JE DOIS AVOUER
QUE JE NE SUIS PAS CERTAINE DE POUVOIR DIRE CE QUI M'A PRIS
D'ÊTRE SOUDAINEMENT SI VIDÉE
DE TOUT.

JE NE SAIS PAS CE QUI A PRIS À MES YEUX NON PLUS
DE SE FERMER (SANS ME PERMETTRE D'EN DISPOSER AUTREMENT)
ALORS QUE J'ÉTAIS À SEULEMENT
DEUX DOIGTS DE LA LUNE.

C'EST VRAI QUE TOUT PRÈS DES ÉTOILES,
DES FILANTES MAIS AUSSI DES MORTES QUI TIENNENT BON
(ET QUI SONT TOUTES PLUS BELLES LES UNES QUE LES AUTRES,
ON NE PEUT LEUR ENLEVER ÇA),
JE ME SUIS VITE SENTIE UN PEU PÂLE.

C'EST VRAI AUSSI QUE, SANS PRÉVENIR,
COMME S'IL AVAIT TOUJOURS ÉTÉ LÀ ET QU'IL ATTENDAIT
QU'ON LUI FASSE SA PLACE, LE SILENCE EST VENU S'ASSEOIR
TOUT PRÈS DE MOI.
ET QUE DE LE VOIR LÀ, SANS BOUGER,
ÇA AURAIT FOUTU LA TROUILLE À N'IMPORTE QUI
POUR LA SUITE DES CHOSES.

(C'ÉTAIT LE SILENCE COMME QUAND ON DIT QU'ON ENTENDRAIT
UNE MOUCHE VOLER.)

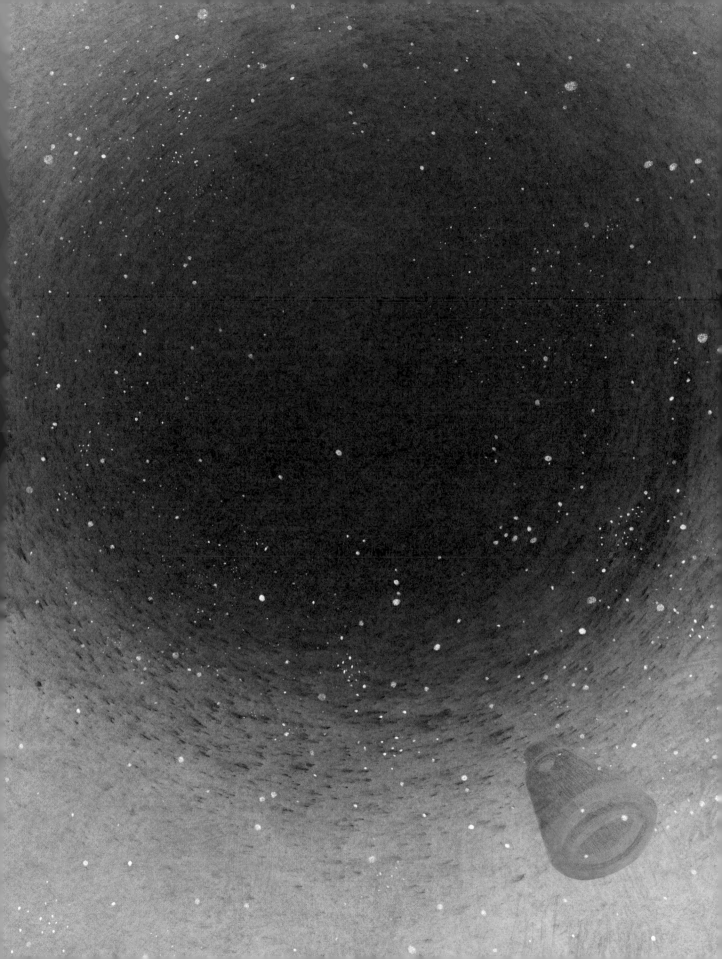

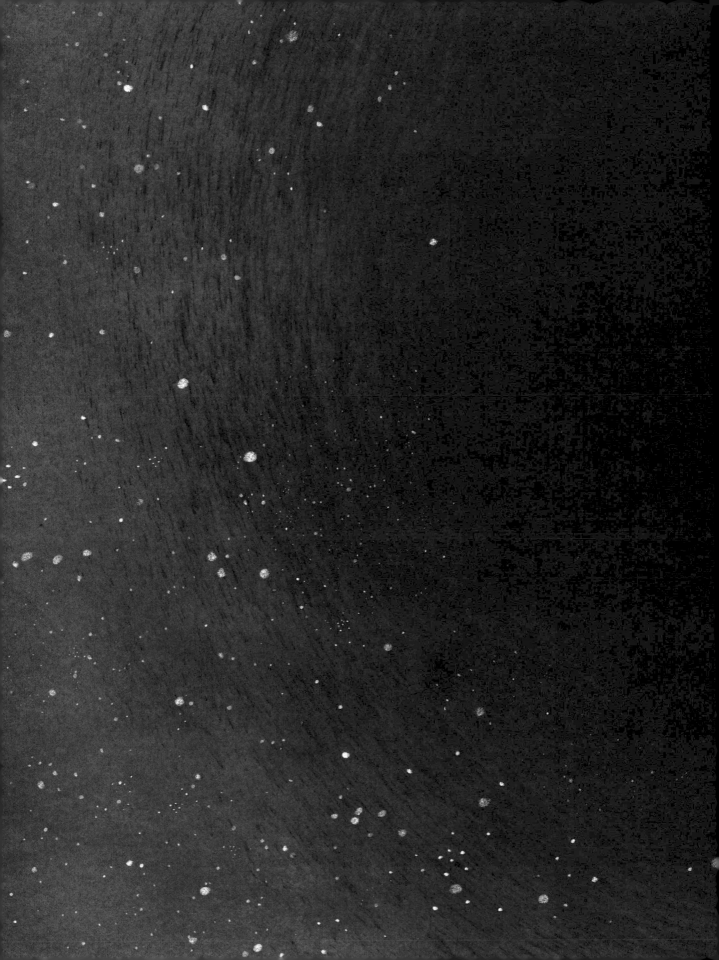

LES VRAIS ASTRONAUTES SONT PRÉPARÉS À CE GENRE DE SPECTACLE.

MAIS BIEN SÛR ÇA AURAIT ÉTÉ TROP LONG
DE RACONTER CES CHOSES-LÀ
AUX GENS DE LA FILE.

TROP LONG ET SURTOUT
BEAUCOUP MOINS DRÔLE.

C'EST PROBABLEMENT POUR ÇA QU'ON L'A APPELÉ
LE CONCOURS-DE-QUI-IRA-SUR-LA-LUNE

ET PAS, PAR EXEMPLE :
LE CONCOURS-DE-QUI-AIMERA-ÇA-OU-PAS-LE-SILENCE-
ET-LES-ÉTOILES-PAS-MORTES-OU-MORTES-MAIS-QUI-TIENNENT-BON.

C'EST UN DÉTAIL.
UNE BROUTILLE.
MAIS QUAND ON Y PENSE BIEN
LES DÉTAILS ET LES BROUTILLES FONT BIEN SOUVENT
TOUT.

JE DISAIS DONC QUE J'ÉTAIS À DEUX DOIGTS DE LA LUNE,
LES PAUPIÈRES BIEN AGRIPPÉES À MES YEUX, OUI, C'EST ÇA,
POUR LES FORCER À BROYER DU NOIR, QUAND J'AI COMPRIS
QU'IL N'Y AVAIT PEUT-ÊTRE RIEN DE MIEUX À FAIRE QUE DE
RÉFLÉCHIR.

JE ME SUIS DONC MISE À PENSER
AU SINGE ALBERT

QUI FUT ENVOYÉ DANS L'ESPACE
LE VENDREDI 11 JUIN 1948.

C'ÉTAIT BIEN AVANT YOURI GAGARINE.

LES HOMMES DE LA NASA AVAIENT PEUR D'Y ALLER, EUX,
ALORS ILS L'ONT ENVOYÉ, LUI.

Il FALLAIT BIEN UN PREMIER.

À QUOI ÇA PENSE
UN SINGE
EN HABIT DE COSMONAUTE ?

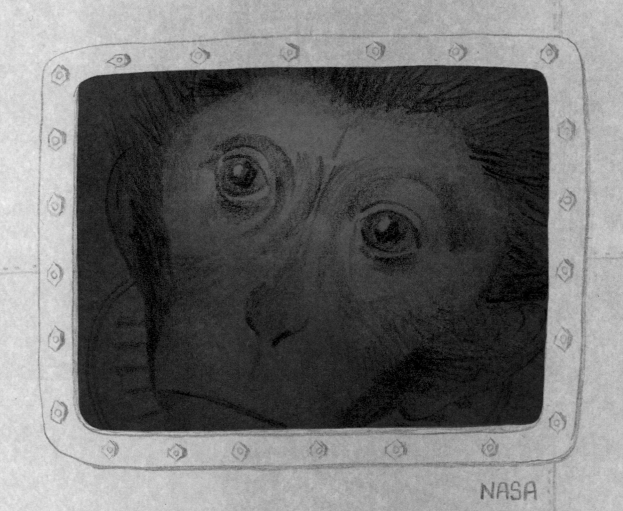

NASA

PEUT-ÊTRE QU'AU MOMENT DU DÉCOLLAGE
ALBERT CHASSAIT LA PEUR
EN PENSANT À CE QUE SES CONFRÈRES DIRAIENT DE LUI
À SON RETOUR.

ALBERT LE PIONNIER DE L'ESPACE.
ALBERT CELUI QUI SAIT VOLER.
ALBERT UN SINGE PAS COMME LES AUTRES.

MAIS PEUT-ÊTRE AUSSI QU'IL SE DEMANDAIT
SI ÇA N'AURAIT PAS ÉTÉ BIEN DE VIEILLIR EN SINGE
SANS HISTOIRE.

TOUJOURS EST-IL QUE LES HOMMES DE LA NASA,

QUI TROUVAIENT QUE LEUR PLAN FONCTIONNAIT À MERVEILLE,
ORCHESTRÈRENT CINQ AUTRES DÉCOLLAGES DE SÉRIE « ALBERT »
ENTRE 1948 ET 1951.

AVEC DES SINGES TOUS BAPTISÉS ALBERT.

MAIS TOUT ÇA
ALBERT NE L'A PAS SU.

L'OXYGÈNE SE FAIT PLUTÔT RARE LÀ-HAUT.

C'EST PEUT-ÊTRE CETTE HISTOIRE DE SINGES DANS L'ESPACE,

OU BIEN MON CORPS
QUI SE PERDAIT DANS MON HABIT DE COSMONAUTE
TROP GRAND,

OU BIEN LES PANCARTES
BRANDIES PAR LA FOULE
AVEC TROP DE BRILLANTS DANS LES COINS,

OU BIEN LES FLASHS
QUI MITRAILLAIENT MON VISAGE,
AVEC TROP DE LUMIÈRE

Ou bien juste
que la lune
c'est pas fait pour tout le monde,

MAIS CE MATIN-LÀ,

J'AURAIS VOULU QUE GRAND-PÈRE VIENNE ME CHERCHER
DANS SA CHRYSLER GRISE EN FORME DE BOÎTE À SAVON.

MAIS GRAND-PÈRE N'ÉTAIT PAS LÀ.

COMMENT SAVOIR
QUAND ON DÉÇOIT
UN HOMME DE PEU DE MOTS.

J'AI PENSÉ QUE J'AVAIS PEUT-ÊTRE MENTI À GRAND-PÈRE
EN LUI DISANT QUE TOUT SERAIT APRÈS
COMME AVANT.

EN LUI DISANT AUSSI
QU'IL FAUT UN DIPLÔME
POUR DEVENIR ASTRONAUTE.

GRAND-PÈRE NE M'AURAIT PAS CRUE
SI JE LUI AVAIS DIT
QU'IL SUFFIT,
COMME POUR ALBERT,

DE TIRER LE BON NUMÉRO.

N° 6506

CE MATIN-LÀ J'AI PENSÉ AUSSI
QUE SI ALBERT LE SINGE AVAIT SU
QUE CINQ AUTRES ALBERT,
IDENTIQUES À LUI,
SERAIENT ENVOYÉS LÀ-HAUT

(ET AUSSI UN CHIEN RUSSE, UN CHAT ET ONZE SOURIS)

ET QUE LE VRAI PIONNIER DE L'ESPACE
CE NE SERAIT JAMAIS LUI
MAIS BIEN YOURI GAGARINE,

UN COSMONAUTE
DIGNE DE CE NOM
AUX YEUX DES HOMMES,

IL SE SERAIT PEUT-ÊTRE DIT :
À QUOI BON.

J'AI PENSÉ QU'IL SE SERAIT PEUT-ÊTRE MÊME ÉJECTÉ DE LA FUSÉE.

QUI SAIT.

ALORS JE ME SUIS ÉJECTÉE.

Il Y AVAIT BEAUCOUP DE REGARDS MÉDUSÉS
PARMI LA FOULE QUI SE DISPERSAIT
AUSSI VITE QU'ELLE S'ÉTAIT MASSÉE
AUTOUR DE MOI,

COMPRENANT QUE PERSONNE,
CE MATIN-LÀ,
N'IRAIT SUR LA LUNE

ET QUE LE SPECTACLE ÉTAIT
TERMINÉ.

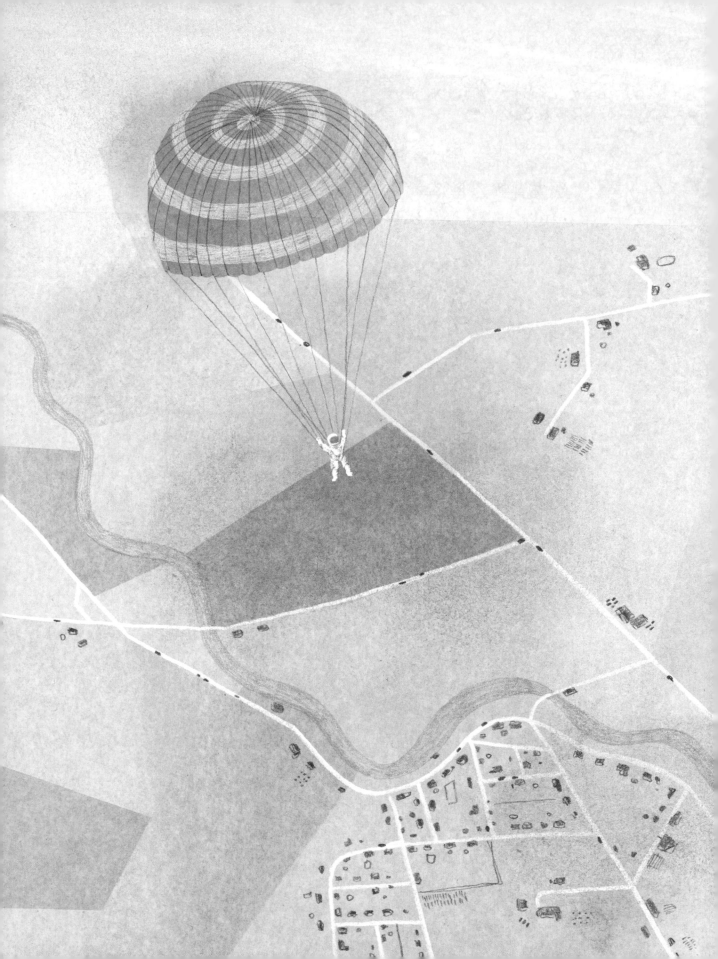

J'AVAIS HONTE BIEN SÛR
D'AVOIR PRIS LA PLACE D'UN AUTRE.
UN AUTRE QUI AURAIT ÉTÉ PRÊT À TOUT
POUR VOIR LA LUNE.

J'AVAIS HONTE BIEN SÛR
DE MON CORPS
QUI BALLOTTAIT DE GAUCHE À DROITE
PARCE QUE C'EST LÀ QUE LE VENT ALLAIT.

J'AVAIS HONTE BIEN SÛR
DE PENSER
QUE JAMAIS JE N'IRAIS CHERCHER
DE DIPLÔME D'ASTRONAUTE

ET QU'EN PLUS
JE NE VERRAIS JAMAIS LA LUNE.

ALORS JE ME SUIS MISE À ENVISAGER L'IDÉE
DE LÂCHER LES CORDES DE MON PARACHUTE

PENSANT QUE PEUT-ÊTRE
C'EST LA MEILLEURE CHOSE À FAIRE
QUAND ON A VOULU VOUS DONNER LA LUNE

ET QUE VOUS NE L'AVEZ PAS PRISE.

DIFFICILE DE DIRE SI C'EST LE DESTIN
OU LE HASARD
(IL FAUT D'ABORD SAVOIR AUQUEL DES DEUX
CONCEPTS ON ADHÈRE)

MAIS EXACTEMENT À CE MOMENT,
À QUELQUES DIZAINES DE MÈTRES
SOUS MES PIEDS,

J'AI APERÇU UN HOMME,

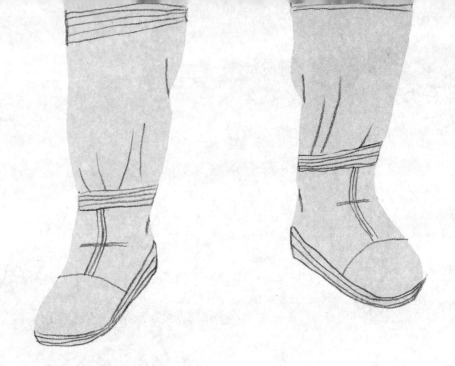

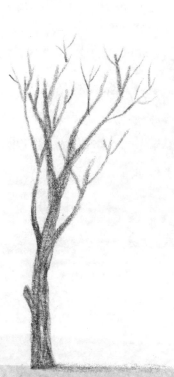

ASSIS DANS UNE CHRYSLER GRISE
EN FORME DE BOÎTE À SAVON.

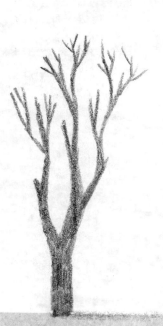

ALORS QUE TOUT LE MONDE DISCUTAIT
À SAVOIR SI C'ÉTAIT VRAI OU PAS
CETTE HISTOIRE DE PARACHUTE OUVERT
OU FERMÉ,

(ON NE LE SAVAIT PLUS)

LUI
EN RETRAIT
DORMAIT.